나의 부박함도
시간이 용서하길

나의 부박함도 시간이 용서하길

발 행 | 2024년 08월 20일
저 자 | 영원
펴낸이 | 한건희
펴낸곳 | 주식회사 부크크
출판사등록 | 2014.07.15.(제2014-16호)
주　　소 | 서울특별시 금천구 가산디지털1로 119 SK트윈타워 A동
305호
전 화 | 1670-8316
이메일 | info@bookk.co.kr

ISBN | 979-11-419-0088-5

www.bookk.co.kr

나의부박함도시간이용서하길

영원 지음

목차

제1장

제2장

제 3 장

제

1

장

당부

내 아가야, 잘 들으렴.
소망은 역겨운 것이고
마음은 죽어야 마땅한 것이란다.
나는 네가 행복하지 않길 바라고
그래서 전혀 아파하지 않기를 바라.
그러니 그 무엇에도 기대지 말렴.
매일이 지치고 삶이 넝마짝이 되어도 좋으니
부디 사람을 믿고 사람을 사랑하다
거기에 배신당하여 울지 말아 주렴.

生

감히 쥘 수 없는 것을 열망하지 않기까지 얼
마나 오랜 시간이 걸렸는지.

드디어 나는 이상을 등지고
한계 안에서 살아가는 법을 배웠다.

그렇기에 놓아버린 사랑
그렇기에 놓아버린 아름다움
그렇기에 놓아버린 젊음
그렇기에 놓아버린 세례
그렇기에 받아들인 죽음

참담함은 일상 속에 있다.

저주

스스로의 악심을 억누르고 인의로나마 선의
를 피운,
그러나 타인의 선의를 위선으로 치부하는 시
대.
바로 여기.
그러니 이곳은 이제 모두가 다시 모두를 증
오할,
자기 자신마저 사랑하지 않음을 강요받는 역
병이 돌 거야.

죄악

일생이 평안하여 다만 사람의 생애를 안락한
것으로 여기는 것들아.
너희가 뭔가 착각하고 있는데,
우린 너희의 행복을 시기하는 명백한 악자가
아니고
너희 또한 죄 없는 어린 양이 아니란다.
이런 시대를 바꾸지 않고서도
행복만을 누리는 이들은 결국 타인의 행복의
찬탈자다.
그게 너희의 죄란다.

역설

오직 유대와 보편적인 애정으로 극복하기엔 너무 멀리 온 시대다.

투쟁하는 약자들이 제 목숨값으로 얻어낸 권리마저 탐내어 약자를 사칭하고 그리하여 기만한다.

이따위 미친 세계에서 다만 우쿨렐레를 뜯으며 비관을 노래하는 것 외에 우리가 할 수 있는 게 대체 뭐가 있겠니?

증오

증오를 관두는 것은 어려운 일이다.
증오의 연쇄를 끊어내는 것은,
조금 더 어려운 일이지.
그러나 그 끝에서 기다리고 있는 게
화평의 시대가 아닌
감정을 도려낸 망자의 땅이라는 것은,
참 끔찍한 일이다.

오후의 햇살 아래 앉아 세상을 들여다보면,
내 시야가 미천한 탓인지
언제나 고결하기만을 강요하는 시대가 보였
다.

모든 사람은 결코 완전무결할 수 없다.
그걸 인정하지 않으려 들고,

그래서 악의가 위선을 힐난하는
개인의 이타와 사랑으론 더이상 극복할 수
없는 시대
그런 시대에 대한 증오.

꽃봉오리

꽃은 거름이 틔운다.
내 안에 쌓이고 또 쌓인 것이 오직 증오 뿐
이라 한다면,
결국 거기서 만개할 것의 꽃말 또한 이미 정
해져 있는 것 아니겠니.
현 시대의 본질은 결국 약자를 세계를 저주
하는 자로 바꾸는 하나의 수식에 불과하다.
내가 그러하듯 너희 또한,
이 시대가 치룰 죗값과 무관하지 않다.

俄是他非

서로가 서로에게 기대어 피어난 사람의 틈새
서 홀로 피어난 꽃 하나
스스로의 나약을 치장하기 위해 타인의 열악
한 태생마저 약탈하려 드는 자칭 위악의 위
선자들
어디 그 뚫린 입으로 말해보렴
너희의 우울은 세계의 것이면서 나의 우울은
오직 나만의 죄업이니?

불꽃씨

스스로의 낭만만은 배신할 수 없던 여린 영
혼만이 가질 수 있는 각오.
그것은 틀림없이 실재한다.
낯선 심장의 폐부.
무력한 삶 속에서도 결코 인정하지 못할 것.
그게 억압인 아이들이 혁명가가 되고 그게
눈물이던 아이들이 안아주는 법을 가장 먼저
배우게 되는 법이다.
그래, 우리가 그러했듯이.
삶을 찬양하던 그 모습 그대로 네가 죽는다.

공전궤도

우리가 발 딛고 사는 세상이 그런데 우리라
고 다를 수가 있을까. 어둠 속 적막과 고요
를 지독하리만큼 사랑했던 나마저도 결국 빛
을 향해 공전한다.

한 사람의 심상 안에 머무는 소우주.
그 코스모스 모양의 별세계에서도 사람이 태
어나 사랑을 피우려나.

만일 그렇다고 한다면,
나는 거기서라도—

긴 밤

긴긴 불면을 잘라버리고
옅은 체향과 달디 단 품으로
나를 안아줄 누군가를 바라는 것.
내게는 그것마저 죄였지.
그건 아마 앞으로도 영영 그럴 거야.

나는 신께
이 새벽을 두려워 않게 해달라 기도했고,
나는 낮에도 뜬눈으로
악몽을 꾸는 걸로 보답받았거든.

분명 짧았을 새벽이 내게는 너무 길었다.

혁명

복합적 우주의 단락과 모든 게 끊어져 아무
것도 연결되지 않은 세계
사람의 원한이 낳은 증오의 굴레가 낳은 무
고한 억압자와 무고한 피해자가 낳은 보편적
이기와 지성의 찬탈과 낭만의 오류성이 낳은
울다 죽으려 햇불을 든 혁명가들
나와 죽은 나방의 차이점이 비단 기만만은
아닐 거야

순례자는 돌아오지 않는다

절망을 순례자처럼 걷고 또 걷네
하루를 사는 게 아니라 무료無聊를 사는 기
분
내다 발 딛는 곳들은 죄다 풀 죽은 땅이다
사랑과 평화
공존과 대화
배려와 위로
사람은 배신당한 것을 믿지 않는다
나는 그것들에 배신당했을 뿐이다
그뿐이다

죽어가는 것으로 이루어진 생애

삶은 언제나 두 갈래로 나뉜다.
죽어가는 자와 살아가는 자.
삶은 언제나 살아가는 자의 것이며,
그것이 세계가 다만 생동감에 대한 칭송으로
이루어진 이유다.

하지만 말야
그렇다고 죽어가는 것으로 이루어진 생애는
삶이 아닐까?
우리는 언제든 죽을 수 있고,
그래서 우리는 분명하게 살아있다.

나로 창조되는 행복

소망은 규율의 형태로 나타나 우리를 시험한
다.
어떤 무형의 틀이 행복의 원념적 실체라 한
다면,
그것을 깨고 재조립하는 자에게 영광이 깃들
지.
삶을 찬미하고자 소망하는 나의 아가야,
행복은 너로 인해 창조될 거야.

너를 베고 꾸는 꿈

유대와 불신 속 가득한 증오.
위선 뿐인 악의와 변명조차 없는 악의.
불분명한 선악의 어느 청춘의 방황.
한낱 꿈에 불과한 구원과 온실 속 화초의 자
살.
악념이 기원 되어 선이 경멸당하는 세계.
그 속에서 평화를 꿈꾸며.

낮이 되어도 우울은 낮질 않는다. 이 지독한
맑은 하늘과 따스한 햇볕이 주는 열병에 심
장이 녹다가 익사할 것만 같다. 제 품에 날
넣어 토닥이는 너 아닌 네 손길은 왠지 모르
게 낯설어 몸을 웅크리게 만들었다.

제

2

장

낭만론적 사고

낭만에 의거한 방법론적 타살
자격의 부재가 사랑을 피웠기에
겪은 말로 추악마저 한 꺼풀만 뒤집으면 추
억이 된다
극독으로 이루어진 휘낭시에
몸이 반으로 갈라지면
그 어떤 상실도 겪지 않을 거란
허무맹랑한 소리에 영혼마저 파는 꽃들
애초부터 시든 채 피어난 꽃에겐
어떠한 동정도 없는걸

포옹

넌 내게 죽음이 두렵지 않느냐 물었잖아

있잖아, 나는 실상 모든 게 두려워

죽음이 어찌 거기에 없겠어

나는,

우리는,

그냥 삶이 더 무서운 거야

살아가면서 누릴 불행과

상처와

배신과

비극이

그리고 그게 올 걸 뻔히 알면서도 자꾸만 마

취시키는

사랑과

웃음과

기쁨이

그걸 외면하는 우리는

전혀 두렵지 않다는 거짓말로 안심하고 또

끌어안겠지

파랑성

바다를 베고 꾸는 꿈
편안하면서도 코끝을 찌르는 낯선 냄새에
살풋 미간을 구기지만 곧이어 익숙해지지
네가 내 바다야.
네가 내 하나뿐인 바다야.

피사체

열상과 파상이 주름처럼 뒤섞여
무늬를 만드는 곳
사진 몇 장으론 불명확한 달의 뒷면 같은 곳
을 깎아지를
열쇠 파랗게 일그러지며
투명하게 웃어보이는
예정된 파멸

들판 위를 달리는 왈츠

구름의 속도로 멀어지면서

어지럽게 꽃들을 망치면

환상은 환상이라

아름다운 것과

한때는 한때이므로

충분히 사랑스러웠다고 서로에게 속삭이는

꽃향기에 취해서 기꺼이 속고 속였지

어둠에서만　피어나는 꽃

당신이 환하게 빛난다면 거기, 그렇게 가만
히 있어도 좋아요.
당신 자리가 어둠에서만 피어나는,
한 송이 꽃이라도.

장송곡

겁많은 성정은 운명이 내게 채워둔 후천적
족쇄다.
원하는 것은 기필코 가져야만 하는 죄되고
이기적인 영혼이,
그토록 원하던 게 자신을 증오스런 눈으로
볼지도 모른다는 것에 두려워 떨고 있으니.

삶을 찬미한다는 것은 죽음을 두려워한다는
것.
그렇기에 사의 찬미는 곧 살아가는 것에 대
한 애도.

있잖아, 어떤 꽃은 분명 죽으려 피었지만 이
것만은 확신할 수 있어.

장송곡으로 바치는 고백.

청춘은 결국 늦은 날의 고해로 마치지.

타오르는 번민.

추락하는 노을.

결국 또 아침이 오고야 마는구나.

행운 총량의 법칙

너를 더없이 사랑하는 나의 오래된 기원은,
부디 평생이 행복하지 않음으로 평생이 불행
하지 않길 바라는 마음이었어.

오랜 시간동안 새겨져 온 심장의 흉터를 잊
는 법만 알 수 있다면, 그 대가가 설령 온
사랑과의 안녕이라 하여도,
그것을 기꺼이 치룰 수 있는 네가 되길.
그런 기회가 네게 오길.

강강수월래

봄밭 위에서 퍼져나가는 나비와 꽃의 노래.

강강수월래.
다시,
다시 강강수월래.

끝나지 않는 회전목마와 함께 영원이란 이름
의 커튼콜에 빠져들자.

잘 자.
이제 두 번 다시는 깨어나지 않는 거야.

계절범죄

너는 빛을 잃은 나의 여름 녹아내리는 나의
겨울

빛

너는 빛이지.
그것은 부정 못할 사실이다.
허나 너도 이미 알고 있겠지만 세상은 단순
하지 않고 하나의 빛으로 밝혀지는 곳이 아
니다.

그대야.
너는 나의 햇살일까,
아니면 무명의 해류를 돌보는 등대일까.
그도 아니라면 다만 꽃으로 살고자 한 나의
노을일까.
어쩌면 그 모든 것일지도 모르지.

꿈

언젠가 시간이 멈추고 나 혼자만 살아 움직
이는 세계를 꿈꿀 수 있다면
나는 잠든 너의 머리맡에 앉아 있고 싶다
오직 나만 숨을 쉬는 세계,
그래서 오직 나 혼자만 죽어가는 세계.
그 모든 날의 호흡을 모조리 바치고
잠든 네 머리칼을 만져주다가
결국 영원히
이것만이 내가 꿈꾸는 이기심이다.

언약의 실체

너를 평생토록 사랑할게.
영원은 도박이지만 평생은 실재한다.
만일 내가 너를 상처입히려 들거든,
그 즉시 내 목을 졸라 죽여버려.
그렇게라도
아니, 오로지 그것만이
나와 평생을 네 손에 쥐여주는 것만이
내가 내쉬는 모든 언약의 실체다.

나비

꽃을 사랑하는 나비는 높게 날지 않는다.
그가 사랑하는 것들은 언제나 낮은 곳에 머
무니까.
꽃과 꽃 사이.
사랑하는 곳에서
다시 사랑하는 곳으로.
거기에서 낮게,
아주 낮게 머물며...

맹세

맹세해. 나는 내가 빚어낸 환상과 함께 죽어
갈게.
사랑해. 너는 내게 달보다 더 빛나는 별이었
어.

종말

사랑이란

내 앞에 너를 앞세우고

네가 나의 역린이라 말하는 것과 다름 없어

서,

그 무엇도 너를 대체할 수 없어서,

너의 상실은 곧 세상의 종말이었다.

심장

폐부에 고운 손을 쳐박고 녹슨 심장을 꺼내
고 싶다.
기괴하게도 쿵쿵거리는 나의 것.
그것을 꽉 쥐어 완전히 터트려버릴 수 있다
면.
미래 없는 추억과 손수 빚어낸 환상.
무한한 도돌임표에 갇힌 이야기와 다시 그
안의 눈물.

죽은 것처럼 살아왔기에 도리어 산 것처럼
죽을 우리들아.
고요한 수평선 너머의 고요할 요람.
다만 동경과 소망만으로 이루어진 세계에 닿
을
너와 나의 쓰지 못한 글들.

그 사랑을 입으로 뱉을 수 있다면...

사랑의 정의

너의 무기력과
너의 우울함과
너의 감정들과
너의 생각들과
너의 모든 것을 사랑해

사랑이란 단순해
사랑은
계속 같이 있고 싶은 거야

사랑하는 과정

사랑하는 과정이란 다 똑같다.
별 것도 아닌 것에 어쩌다 이름을 붙여주고,
거기에 아리따운 의미를 달아주고.
다시 그것을 입 안에서 수천 번을 굴리다보
면...
그 언젠가의 날에 우연은 분명 사랑이 된다.
증오가 찾아오는 방식으로 사랑이 한껏 다가
온다.

사랑이 존재하는 곳

사랑이 낳는 경계선.

병난 애틋함으로 지키려드는 마음.

이방인은 갈 곳 없다.

푸른 하늘과 낮에 뜨는 손톱만한 달.

해가 지고 있는데도 하늘은 푸르르지.

소망과 사랑.

세계에게 찬미받아 마땅할 녹색.

천국과 영원의 달.

그리고 바다와 영원.

그걸 엮는 파랗고 초록색인 실타래.

거기에 사랑이 있었다.

제

3

장

물웅덩이

서느렇고 푸른 바닷물을 절지한 나뭇가지 마
냥 잔등 푹 저수하곤 일렁이는 물낯에 비춰
어진 면모를 응시하는 시선에 맺어보았다.
줄랑이는 바람에 이지러지고, 곡해된 제 꼴
좀 보자니 우습어 입가에 비소 한번 그리힐
허본다.

꿈

이미 옛날 옛적부터
꽃과 별들은 다 피고 지어 없고
들끓는 환희와
섣부른 희망과
폐부를 찌르는 슬픔이 빚은 통증만이 남아

나는 눈을 감고 웅크린 채
다만 어딘가로 떠내려가고 있었으니

아,
나는 연쇄적 추억 살해 사건의
영원한 피해자로만 남을 수 있을까

비극이라도 꿈꾸는 건 광인의 몫인가

애정결핍

심장은 죽고
결핍으로 사는
어떤 이들은 어떤 사랑으로도 만족할 수 없
어
네가 베푸는 사랑만으로도 이렇게 행복한데,
꽁꽁 감춰둔 사랑마저 취하면 어떨까 싶어
눈 돌아가는 우리거든

실수

만일 누가 내게 내가 저지른 가장 큰 실수가
무엇이냐 묻는다면, 나는 일말의 망설임도
없이 답할 수 있다.

천성이 악독한데 또 유약했어
천사의 날개를 꺾어 영영 취해야만 만족할
주제에,
그 유약 때문에 결국 그녀를 날아가게 두었
지
살아오는 그 모든 순간마다 그랬어
그게 내 가장 큰 실수야

장례

아파.
몸이 아프다.
나의 감정들이 그랬듯
나 또한 무의미하게 죽어버릴 준비를 하는
느낌.

나의 영혼과 사고는,
세대의 삶에 맞지 않았다.
육체라고 별다를까.
몸이 찢겨나가는 통증이 여즉 선명하다.

경외

사랑 앞에 벌벌 떨면서도 언제나 사랑을 바라지.
두려운 것을 갈망하는 것,

나는 그걸 뭐라고 부르는지 알아.
그건 경외야.

그리고 나는, 나의 이런 경외가 참 끔찍하고
싫었다.
나를 파괴하는 것들에게는 단 한줌의 마음조
차 주기 싫은데,
정작 가장 거대한 파괴자 중 하나를 경외한
다니.
최악이잖아.

멸종

뜬 눈으로 꾸는 종말의 세계.

왜, 사람은 마음을 죽이는 수단을 찾지 못할
까
너를 향하는 시야에 열망을 품지 않는 방법
이란 건

아, 애틋이니 열애니 하는 것은 결국 심장에
기생하는 것이지
허면, 같은 이치의 것들이 그러하듯
이 기생심寄生心 또한
다만 내 심장을 가르면 없어지는 걸까

영원한 사계

심상이 나누는 사계
다만 꽃을 피웠을 뿐인데
누구는 애틋을 피워낸 봄을 사랑하고
누구는 고독을 피워낸 봄을 증오한다.
햇빛이 쏟아질 때도,
눈비가 낯을 가렸을 때도
내게는 온 계절이 부고였다.
나는 낮에도 밤에도 심상으로 장례를 치룬
다.
영원히,
그리고 또 영원히.

애증

너만 미워하고 끝내기엔 내 삶은 이미 너무
멀리 왔다.
좋은 쪽이든 나쁜 쪽이든
나는 이제 사랑만을 증오한다.
어쩌면 이것도 하나의 애증이 될 수 있겠다
싶다.

사랑도 썩을 수 있다.
나의 씻겨지지 않을 악취가 그것을 증명한
다.

나는 우연을 사랑한다.
예기치 못한 것에 언제나 운명이 있다고 믿
으니.
길을 걷다 우연히 마주친 강아지.

우연히 보인 꽃집에서 나누는 담소.
예측 불가능한 것을 증오하던 나는
언제나,
또 여전히 예측 불가능한 것에 위로받는다.
애증이란 것들은 다 그렇지.
그게 좋은만큼 싫고,
또 싫은만큼 좋고...

애증이란 단어는 그 어순조차 완벽하다.
사랑으로 시작해 결국 증오로 끝난다.

나는 사랑을 구원이라
믿지 않는다

나는 안다.
다만
사랑으로 구원받는 미래 따윈 내게 없다는
것을
단순히 나의 추함에 의해 비관되게 구는 것
이 아니다.

잘 생각해 봐.
고작 사랑 따위에 구원받을 수 있는 불행이
었다면,
그깟 것도 이겨내지 못한 나는 얼마나 우스
운 놈이겠니.

그럼에도 나는 또 다시 사랑을 바란다.

참 증오스럽게.

시인

사람의 업은 죽음에서 드러난다.

사람을 사랑하겠다는 것은
그 사랑으로 죽겠다는 것이고,
바다에서 살겠다는 것은
바다에서 죽겠다는 것이지.

시인의 생애 또한 다를 게 무어 있겠니.
낭만을 적겠다는 것은 결국
거기에 피살되겠다는 하나의 각오잖아.

여느 청춘의 미몽

천지의 창조와 사의 찬미.
언어로 시작해 언어로 끝나는 단 하나뿐인
구결.

있잖아,
너는 사람의 기록적일 무너짐 앞에서 추종과
범람의 차이를 구별할 수 있어?
언젠가 이 우주마저 죽어 생사와 삶을 넘어
의미의 의미마저 없어지는 날이 오면
아,
이 망망대계마저 여느 청춘의 미몽이었구나.

도망친 곳에 낙원은 없다

무엇이든 아는 너에게 나는 묻는다.
그대여,
그대는 배신당한 기대와 조롱에게서 벗어나
는 법을 알고 있니.
나는 늘 의도적으로 나의 세계를 넓히려 했
다.
어느 곳에서 상처입으면 다른 곳으로 도망가
려고
그러나 새로이 머문 곳은 세월의 향취의 깊
이가 달랐다.
도망친 곳에 낙원은 없다.
내가 머문 곳도 낙원이 아니었는데,
그럼 난 거길 깨부숴야 했나.

기도문

신의 체취를 머금은 대가로 나의 육편이 수
천 갈래로 쪼개지고 찢겨져 다만 상처받은
자들 요컨대 사랑을 헐값에 팔고 그걸로 값
싼 동정을 사려는 자들의 목 안쪽과 심장에
박혀 언제까지나 언제까지라도 구원의 향취
를 머금게 할 수 있기를

공백 위의 커튼콜

아무도 보지 않는 무대 위 흉한 나체로 펼치
는 우스운 일인극.
나는 붉은 커튼으로 목을 찔러 죽고 싶었다.
사방으로 튀는 피.
누구에게도 사랑받지 못할 나.
공백 위의 커튼콜은 무용한 사내를 소녀의
삶을 비춘다.
만석의 관객은 우울인가 안도인가.
미상의 시에선 절망과 안락을 나눌 수 없다.

왜곡된 색체

파랑도 결국 겹겹이 쌓이면 하나의 어둠이
된다.
그렇게 만들어진 심해.
그렇게 만들어진 심연.
그렇게 쌓이고만 방어기제는
아무리 알록달록하게 온갖 파랑으로 물들였
음에도 나를 검정으로 만들어.
총천연의 파랑을 사랑했던 나는
거울에 오직 새까맣게 비춰질 뿐야.
나의 색채가,
그렇게 왜곡됐어.

새벽녘

잠은 오지 않고 통증만이 가득한 밤.
나는 무수히 많은 의미로 새벽에 연약하다.
몸도 마음도 하나하나 정성스레 빈틈없이 깎
여나가는 중이다.
부서진 육체.
의지를 파문한 영혼.
그 모든 게 생명성을 잃은 채 서서히 죽어가
는 것에 불과하다.
어쩌면 이 생각도 마찬가지겠지.
존재의 허무.
좌절과 포기를 희생과 구분하고 싶지 않아지
는 시점.
거기에 주저앉아 울고 싶었으나 눈물조차 나
오지 않아 까진 손톱으로 눈가를 할퀴어 핏
방울을 떨구는 나.

우리의 비극은 절망이 익숙하단 점에 있다.
스스로를 파괴하는 것도,
사랑의 텃밭이 무너지는 것도,
심지어는 삶의 터전이 가라앉는 것도.

세계의 껍질을 한꺼풀 넘어선 곳.
거기서도 사람들은 사랑에 겨워 노래 부르고
있을까.
참 아이러니해.
비극에 젖었을 이름 없는 비명소리에 단지
약간의 선율을 얹었을 뿐인데 그게 노래가
되다니.
언젠가 나의 유서도 사랑시가 될 수 있을까?
바람을 타고 저 멀리까지 퍼져 거기에 닿을
수 있을까?

생명이 사랑으로 피었음에도 어찌 사랑은 모
든 생명의 품에 안기지 못하는가.
열리지 않는 입술과 잘려버린 혀.
사랑했던 그 이름을 다시는 입 밖으로 내뱉

지 못할 저주.
기록되지 않는 사랑은 유산일 뿐이다.
심장을 박박 긁으며 멸종을 독촉하는 검은
것아,
그 어디에 찬미가 있고 열애가 숨 쉬던가.

사랑이 낭만을 잃어버렸으니 이제 남은 다정
은 모조리 다 허물뿐이겠구나.

새소년-난춘

쏜애플-멸종

백아-영화

Sundiver   Ca-Soundtrack   for   Your
Backseat

Jamirquai-Virtual lnsanity

f(x)-4Walls

스테이씨-Find(Sieun&Seeun&J)

KozyPop-No thanks

이번 시집을 엮으며 즐겨 들었던 노래들입니
다. 제 첫 책을 감상해 주셔서 감사드리며
모두 앞으로의 나날들이 행운으로 가득하길
바랍니다.